KB171551

모리아 MASTER

하이어라키 3

발 행 | 2023년 12월 20일
저 자 | 모리아 대사
번 역 | 임창균
편 집 | 정재훈
펴낸이 | 최일해
펴낸곳 | 매직머니
출판사등록 | 제2019-000009호
주 소 | 경기도 양주시 고암길 154-21
전 화 | 010-2231-9977
이메일 | sita7@naver.om

ISBN | 979-11-92435-13-8

정 가 | 12,000원

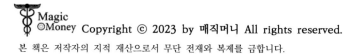

Magic Money Copyright ⓒ 2023 by 매직머니 All rights reserved.
본 책은 저작자의 지적 재산으로서 무단 전재와 복제를 금합니다.

HIERARCHY 3

성과를 올리려고 서두르는 사람은 우리가 느리다고 생각할지 모른다. 그들을 밤하늘 아래로 데려가 수많은 세상이 쏟아내는 빛을 가리키며 말하라.
이러한 창조력을 향해 주님이 이끌어 달라고.

이처럼 위대한 길을 더디게 가는 것이 가능한 일인가?

우리는 공동 창조자가 될 준비를 해야 한다.

의식의 씨앗을 보존하고 증식시킬 필요가 있다. 전체 세상이 의식의 힘으로 유지되기 때문이다.

자기중심주의를 떨쳐낸 의식을 이기는 힘은 없다.

우주의 파동의 떨림이자 그것의 영(靈)의 씨앗 속에서 지구의 모든 떨림에 반응하고, 사람들의 진실을 아는 불의 의식으로 모든 다리를 건널 수 있도록 준비할 수 있다.

죽음을 정복함으로써 불타는 로고스의 공동 창조자가 되도록 가슴의 신성한 힘들을 모두 쓸 수 있다.

그런 대담성이 가슴속에 심어지지 않는 한, 의식은 이 방향으로 무한하게 성장할 수 없다.

우리는 이것을 왕도라 부른다.

따라서 왕이 되는 길은 영(靈)이 하이어라키에 경의를 표하는 것이다!

　보장된 궤도의 맨 아랫부분에는 한 가지 의지가 항상 고정되어 있는데, 이 의지는 현현된 모든 것을 연결해 준다.

　따라서 그 초점은 불의 창조성으로 모든 것을 가득 채우는 근원이다.

　창조성으로 가득 채우며 상위 영역으로 영(靈)의 에너지를 가게 하는 그 의지는 아름답다.

　그러므로 현현된 의지가 만들어 낸 궤도는 강렬한 불의 흡수를 통한 공간의 불과 공간의 불이 상위 영역과 맺는 상관관계에 힘입어 확장한다.

　이렇게 하여 위대한 생각은 영(靈)에 인력을 제공하고 지고의 불을 내뿜는 의지는 영을 최고의 궤도로 끌어당긴다.

　그러므로 상위의 의지와 조화하는 것은 경이로운 일이다. 이때만이 무한자의 궤도들이 드러난다.

따라서 우주의 힘은 공간 속에서 확인할 수 있다.

각각의 센터는 고유의 진동을 감지한다.

그래서 흐름이 변하면 불의 센터는 아주 민감하게 반응한다.

그러므로 건강을 지켜야 한다.

고밀도화된 아스트랄체를 대상으로 한 실험은, 본질적으로 단순한 시도가 아니라 제6인종을 창조하기 위한 계획의 시작이다.

고밀도화된 아스트랄체가 오랫동안 불안정하게 될 것이라는 생각을 버려야 한다.

아스트랄체를 충분히 치밀하게 할 수 있는 준비를 이미 마쳤다. 이처럼, 세상이 혼란한 가운데에서도 우리는 새로운 인종을 만든다.

지구의 가장 낮은 대기층을 정화할 수단을 찾아야 한다. 벌써 몇 가지는 가능성이 있다.

그대에게 주어진 유화액은, 깨끗한 얇은 피부막을 통해 독소를 제거함으로써 정화를 위한 방법으로 사용할 수 있다.

인종의 변화 시작 – 창조의 초점

207

다음 인종이 장밋빛 날개를 달고 하늘에서 떨어질 것으로 생각해서는 안 된다.

실험실에서 만들어 낼 수 있는 것도 아니다.

인종의 변형에 관한 생각이 강화된다면 그것을 환영하는 바이다.

이를 위해 우리는 원숭이의 도움에 의존하는 것이 아니라 인간 본성의 토대에 의지해 식물계와 광물계의 축적물을 추가할 것이다.

따라서 인간의 정신은 수선된 옷을 받을 것이다.

발달 정도가 다른 체들이 존재한다는 사실에서

시작해 아무런 편견 없이 미래를 생각할 수 있고 또한 그렇게 생각해야만 한다.

 발달 단계가 여럿이라면, 상호 이익에 기반한 중간 단계를 찾지 못할 것이라는 주장은 할 수 없을 것이다.

 하이어라키의 연속성을 이해하지 않으면 하이어라키를 이해하기 어렵다.

 마찬가지로, 서로 도움이 될 때 발달 단계가 다른 체들이 존재하는 것이다.

어둠의 집단이 인류가 완전함에 이르지 못하도록 어떻게 하는지, 새로운 빛의 몸보다 아틀란티스 같은 운명을 얼마나 더 좋아하는지 알 수 있을 것이다.

그들을 주의하라.

경계를 늦추지 말라.

주님을 따르라!

스승의 인정은 모든 창조력을 강화한다.

스승이 없으면 창조성의 위대한 사슬과 연결할 수 없다.

그러므로 진화 과정을 관장하는 우주의 힘들은 모두 하이어라키의 원칙 위에 보장될 수 있다.

끌어당기는 초점 없이 어떻게 건설할 수 있겠는가?

각각의 힘은 저마다 긴장도를 가지며, 빛을 모으고 자신의 주변으로 불길을 퍼트리는 우주불의 근원으로부터 창조력을 불러일으킨다.

이렇게 하여 우주의 초점이 보장되며, 생명은 초점 주위에 만들어져야 한다.

창조성은 끝이 없다!

이 초점을 전체적으로 인식할 때만이 최선의 결과를 얻을 수 있다.

하이어라키의 존재를 인식할 때, 각각의 행위는 초점을 얻는다.

초점을 인식하는 게 이토록 중요하다.

초점을 인식하고도 망설이는 손은 강화할 필요가 있다.

초점을 향해 의식을 확장해라.

이처럼 스승과 타라가 창조적인 불을 가져다주는 것이다.

생각은 창조성의 기초다.

생각은 볼 수 있고 측정할 수도 있다.
생각을 독립된 행위의 창조물로 여겨야 한다.

생각의 결과를 바라보는 올바른 태도는 이러한 이해에서 비롯된다.

생각의 결과물을 왜 차단하지 못하는지 사람들은 종종 묻는다.

생각은 영적인 계에서 갓 생겨난 독립체다.
추상적인 개념이나 물질이 아니라 자립적인 존재에서 나타나는 특징을 모두 갖춘 실체다.

영적인 계의 실체이므로 생각을 완전히 없앨 수는 없다.

생각을 막을 수 있는 것은 그보다 더 큰 잠재력

을 가진 비슷한 실체다.

바로 여기에 부정적인 것을 전략적으로 물리치
는 기술의 정수가 있다.

나중을 위해 괴물이 추한 모습을 완전히 드러내
도록 놔둘 때, 그 괴물을 빛으로 무찌를 수 있다.

하이어라키는 진정한 빛의 세력이 되겠다는 최
선의 서약이 될 것이다.

하이어라키의 절대성

212

하이어라키를 시금석으로 여겨라.
그러면 그대가 지닌 자질의 효율을 시험할 수 있다.

최고의 존재이자 가장 밝게 빛나는 존재가 있다는 사실을 받아들이지 않으면 자신의 모나드를 보호하고 완벽하게 할 필요가 없다.

하이어라키의 존재는 전생애의 기반이다.

하이어라키는 수많은 봉사자를 통해 일한다.

이런 봉사자를 모으는 일을 지체하지 마라.

하이어라키에 봉사하는 것보다 중요한 일은 없다.

공익을 위해 쓰이는 힘은 항상 공간 속에서 많이 증가하여 상위 영역들과 연결된다.

하지만 악에서 나온 힘은 부메랑이 된다.
발산되면 공간을 가득 채우기 위한 힘을 준다.

악의 화살이 나타나면 최하위층을 긴장시키고, 그 층은 빽빽하게 되어 반드시 다시 튀어 오른다.

이처럼 빛에 이끌린 생각은 밝은 빛을 그리지만, 오염된 화살은 그것을 쏜 사람의 정수리를 뚫는다.

영적인 계를 향한 그러한 현현물이 많다.

그러므로 공간이 감염되지 않도록 보호하고, 생각의 질을 높게 유지해야 한다.

그렇게 하면 의식적으로 협력할 수 있을 것이다.

어둠의 존재들이 백색형제단에게 활을 겨냥하면, 그로 인해 자기 파멸을 초래해 화살이 되돌아가는 일을 피할 수 없을 것이다.

그대가 들은 것은 자멸의 결과다.
조준해 쏜 화살은 쏜 자에게 되돌아가기 때문이다.

그러므로 우리의 힘을 이해하도록 하라.

우리의 힘과 하이어라키에 대한 믿음을 완전히 보여준 사람을 건드릴 수 있는 것은 없다.

우리의 광선은 경계를 늦추지 않으며 우리의 손은 지칠 줄 모른다.

따라서 하이어라키의 완전한 힘을 이해해야 한다.

생각은 공간적인 실체다.

상념체에 주의를 많이 쏟아야 하지만 피상적일 뿐,
생각의 영향에 대해서는 관심이 없다.

주변 것들에 가장 큰 타격을 입히는 것이 바로
생각의 결과다.

소리는 아주 뜻밖인 것들에 반응한다.
생각의 반응은 미묘하다.

자기 연민에 빠진 자는 돈을 잃을 수도 있고, 분노에
휩싸인 자는 심각한 사건에 휘말릴 수도 있다.

이처럼 방황하는 생각의 영향은 다양하다.

어떤 결과를 낳지 않고 사라지는 생각은 없다.

 생각은 멀리 떨어져 있는 사람에게도 영향을 미칠 수 있지만, 그 사람에게 있어 운명의 공은 그 상념을 만든 자를 찾아낼 것이다.

여기에 우연은 없다.

생각의 날개를 설계하는 것은 매우 복잡하다!

생각의 결과는 최대한 관철해야 한다.

육체의 긴장은 모두 풀어야 한다.
빗자루로 바이올린을 켤 수는 없기 때문이다.

웃음도 가장 가까운 대기층을 교란한다.

가슴이 불타오르면 종처럼 멀리까지 울려 퍼진다.

요가 수행자가 요란하게 웃는 소리를 듣는 것은 드문 일이다.

그의 기쁨은 크게 웃는 데 있는 것이 아니라 충만한 가슴속에 있기 때문이다.

"기쁨은 특별한 지혜다."

그것의 본질에서뿐만 아니라 겉모습에서도 말이다.

영(靈)이 가진 위대한 자질은 바로 꾸준함이다.

꾸준하지 않고서 어떻게 의식을 계발해 확장할 수 있겠는가?

꾸준함과 같은 강력한 자극 없이 어떻게 의도와 행위를 확인하겠는가?

길을 걷는 자, 누구에게나 한 가지 불변의 힘, 즉 하이어라키가 있을 뿐이다.

이러한 신성한 원리 위에서 건설할 수 있는 것이다.

이와 같은 신성한 정상에서 세상을 내려다볼 수 있는 것이다.

이 성채 위에서 영은 날개를 단다.

이 정상에서 장대한 진화를 이룰 수 있다.

영이 이기심에 물든 환영의 세계를 창조하려 한다면 진보하기란 불 보듯 어렵다.

이처럼 무한한 창조성 속에 봉화, 즉 하이어라키가 있다.

그러므로 꾸준히 봉사함으로써 자신의 의식을 넓히고 불과 같은 하이어라키의 법칙을 아우를 수 있다.

하이어라키의 장대한 초점

218

하이어라키를 폄하하는 것은 반역임을.
하이어라키에 관심이 없는 것도 반역임을.
하이어라키와 관련된 모든 것에 태만한 것도 반역임을 알라.
말 한마디, 행동 하나에도 책임을 느껴야 한다.

하이어라키야말로 가장 신성한 불이다. 하이어라키에
도달하는 일을 어떻게 주저할 수 있는가!

이기심과 폄하, 경솔함 그리고 사람들의 획일화된
방식을 나타내는 것은 모두 제거하면서 어떻게 하면
하이어라키에 더 잘 봉사할 수 있는지 생각하라.

하이어라키를 의식적으로 받아들이면서 더 잘 협력할
수 있도록 해야 한다.

정묘한 신체의 언어는 브라흐마란드라 센터가 포화함으로써 표현된다.

이외에는 다른 글자를 발음하느라 애를 쓸 필요가 없다.

첫 번째 문자를 발성하는 것으로 충분하다. 나머지는 가슴으로 이해되기 때문이다.

다른 영역들의 음악은 선율이 필요 없으며 리듬에 기초한다. 나머지는 가슴에서 울려 퍼진다.

가슴은 세계들을 연결하는 고리이며, 가슴만이 주님의 가슴과 하이어라키에 반응할 수 있다.

볼 수도 들을 수도 없게 되면 가슴이 최선의 대체물이자 가장 정묘한 본질의 표현자가 된다.

거대한 동요가 일어날 때, 영(靈)은 있음(Be-ness)의 시대들을 진정 숙고하기 시작한다.

두려움이 영(靈)을 덮치면 건설적인 의지는 전부 마비되고 건설 작업은 중단된다.

불같은 노력이 자신을 강력한 우주 자석의 지식으로 이끈다는 점을 아는 영이라면 더 힘차게 일해야 한다.

하이어라키를 따르는 자는 두려움을 떨쳐야 한다.

위대한 계획을 세우고 있는 가슴은 아무도 꺾을 수 없다. **또한, 강력한 하이어라키의 방패 뒤에서 위대한 미래가 펼쳐지고 있다.**

그러므로 커다란 동요와 중요한 변화가 일어나고 있을 때는 하나의 닻, 하이어라키만이 있다. 그 안에 구원이 있다!

하이어라키가 방패라는 말은 포화된 불의 창조
성의 기초를 이루는 원리가 하이어라키를 토대로
한다는 뜻이다.

따라서 우리는 불의 전달자들을 세상에 알려왔고
아름다움이 현현되게 해왔다.

그러므로 제자는 삶 그 자체인 이 원리를 영적
으로 인정해야 한다.

모든 작업을 가득 채우는 영적인 근원을 가슴속
에서 그리고 의식에서 확인해야 한다.

색다른 접근법은 어떤 결정을 내리는 데 좋다.

질병을 예로 들자.

의사는 최선을 다해 진단하고 온갖 약을 처방할 것이다. 하지만 이런 일반적인 방법으로는 병세가 호전되지 않을 수 있다.

반면, 요가 수행자는 다른 충고를 주었다. 이 특이한 판단 덕분에 환자의 상태가 좋아질 수도 있다.

요가 수행자가 사용하는 약은 약국 것도 아니고 마취제도 아니다. 이 약에는 음식처럼 신경 물질을 강화하는 각종 샘 분비물이 들어있다.

나무의 분비물과 껍질의 구멍을 통해 분비되어 나무를 보호하는 송진도 똑같은 특성이 있다.

정제한 나뭇진은 복용할 수 있다.

태양 광선을 이용하면 가장 잘 정제할 수 있지만, 시간이 오래 걸린다. 침전 과정이 아주 느리기 때문이다.

기름이 더디게 정제될지도 모르지만, 이 정제법을 다른 화학 처리법과 비교할 수는 없다.

따라서 요가 수행자의 특이한 충고는 의사의 일반적인 처방보다 낫다.

이처럼 행동하라.

모든 사건은 하나의 초점 주위에 모인다.
모든 신호는 하나의 초점을 가리킨다.

현현된 하나의 불은 모든 것 속에 존재하며, 이것은
상응하는 에너지를 모두 끌어당기는 씨앗이다.

이렇게 하여 모든 장대한 사건이 일어나는 것이다.

그러므로 하나의 초점을 완전히 인식할 때만이
보장된 그 씨앗을 향해 구도의 길을 갈 수 있다.

이 초점을 인식해야 변하지 않는 창조성이 발현된다.
이렇게 하여 행동의 단계로 나아가게 된다.

이런 식으로 우리는 영(靈)의 확고함을 얻는다.

무한자를 미묘하게 인식할 수 있게 되는 것이다.

하이어라키의 거대한 사슬과 집중 초점
224

그러므로 하이어라키라는 단일한 초점에 접근하기 위해 노력하는 일은 참으로 아름다운 것이다.

이렇게 할 때만이 지고의 존재들의 명령을 모두 소화할 수 있다.

이때 비로소 우리의 지도를 받아 불의 창조성을 발휘할 수 있는 것이다.

가장 밝게 빛나며 모든 것을 포함하는 이 불의 초점은 인생을 창조적으로 시작할 수 있게 해준다.

따라서 하이어라키 이해는 지극히 중요하다. 그래, 그래, 그렇다!

사향과 비슷한 물질을 분비하는 동물과 새의 특징을 주목하라.

털이나 깃털에는 나뭇진이나 산에서 나는 기름 종류가 털을 가득 채우기라도 한 듯 기름처럼 생긴 물질이 들어있다.

새의 깃털은 금속 같은 빛깔을 띠는데 식물계, 즉 나뭇진의 심령 에너지가 많이 포함된 식물의 뿌리나 곡물을 먹기 때문이다.

광물도 식물계와 공기를 통해서 심령 에너지를 주며, 공간의 불은 영(靈)에서 비롯된 생각과 동일한 특성을 나타낸다.

옛날 사람들이 생각을 불꽃에 비유한 이유를 이제 이해할 수 있을 것이다.

광물에서 정묘체에 이르는 심령 에너지의 연쇄 작용을 살펴봄으로써 놀라운 실험을 할 수 있다!

새의 깃털과 동물의 털 반응이 얼마나 다양한지 관찰할 수 있다.

옛날, 금속으로 만든 공작을 궁전이나 사원에 둔 것이 우연일까?

무지개꿩과 사향을 분비하는 동물들이 왜 거의 같은 고지에서 새끼를 낳을까?

고도가 높은 곳에 있는 흙은 평지의 흙과 다르다.

평지의 공기를 정화할 때, 지구 깊숙한 곳들의 심령 에너지를 깨우면서 그곳들에 주목해야 한다.

생명의 초점을 모아야 한다.

이때 문화라고 부르는 특징이 축적되는 것이다.

문화는 하루아침에 만들 수 없다.

생명의 초점도 포탄처럼 한순간에 모습을 드러낼 수 없다.

이처럼 생명의 현현도 오케스트라처럼 조율이 필요하다.

내가 다양한 대상에 대해 말하는 것 같지만 단지 불과 에너지, 하이어라키만 말했을 뿐이다!

 모든 근원의 생명력은 하이어라키의 불의 원리에
따라 보장된다.

 지고의 하이어라키 원리만이 각각을 보장받기
위한 노력과 균형을 제공한다.

 따라서 우주적 원리들을 밝혀내는 데 주된 자극은
하이어라키라는 사슬이다.

 인류의 창조성은 이러한 보장에 의존하며, 이 지고의
사슬을 따를 때만이 필요한 힘을 얻을 수 있다.

 그러므로 각각이 사슬은 더 큰 사슬의 연결 고리고,
이 사슬의 힘은 우주에 가득하다.

 진화는 더 작은 사슬 각각을 강화해 그것을 하

이어라키라는 크고 무한한 사슬에 연결한다.

 이렇게 하여 불같은 하이어라키의 힘이 높이 솟구치는 것이다.

그래, 그래, 그렇다!

어떻게 하면 하이어라키라는 사슬에 연결될 수 있을까?

 가슴과 봉사를 향한 끝없는 노력으로 그리고 주님들의 계획에 완전히 동화됨에 따라, 또한 영(靈)의 창조성을 통해서만 가능하다.

 따라서 길 위에 있는 자는 진실로 가슴의 봉사를 받아들여야 한다.

 이렇게 할 때 하이어라키라는 변치 않는 사슬에 진정으로 연결되는 것이다.

오리겐은 다음과 같이 추론했다.

"행복은 스스로 뿜어져 나오는가, 아니면 어디서 주어지는 것인가?"

행복은 최고의 심령 에너지로 된 진짜 물질임을 알면 이러한 추론이 믿을 만한 근거가 있음을 이해할 수 있다.

열은 빛에서 나오지만, 불을 피우려면 볼록렌즈가 필요하다.

심령 에너지를 가진 생명체에서는 심령 에너지가 분명히 흘러나온다.

하지만 직접적인 결과를 얻으려면 의식적으로 심령 에너지에 집중해서 그것을 모아야 한다.

이 의식은 볼록렌즈와 같다.

심령 에너지의 무의식적인 흐름과 날카롭게 깎은 화살 같은 정밀한 의식을 구별해야 한다.

무의식적으로 보내면 최고의 에너지도 목표에 도달하지 못하는데, 인간의 에너지는 얼마나 초점이 필요하겠는가!

초점을 흩뜨려 놓아라.
그러면 불은 피지 않을 것이다.

불이 없으면 어둠과 추위가 기다릴 것이다.

어떻게 하면 생기를 주는 열과 빛이 도달할 수 있는지 기억하자.

하이어라키를 위한 준비!

230

　초점의 온기와 빛을 소중하게 생각하는 법을 배우고, 유일자의 빛을 이루는 광선들은 한 방향에서 나옴을 기억해야 한다.

　우리의 위치를 물리 법칙과 비교하면 흔들림 없는 성공을 위한 유일한 토대를 볼 수 있다.

　법칙을 올바로 적용한 결과라는 점을 뺀다면 성공은 무엇인가?

　그러므로 하이어라키의 통로를 감지하는 법을 배워야 한다.

다스리는 법을 모르는 자는 책임을 지게 될 것이다.

나약함은 정당한 이유가 될 수 없다.
볼록렌즈가 있는 곳에 불도 있다.

태양 광선을 기다리는 것은 어려운 일이 아니기
때문이다.

우리는 수 세기 동안 기다려 왔다.
따라서 여러 날 기다리기는 덜 어려운 일이다.

행복은 그대의 발아래가 아니라 그대 위에 있음을
명심하라!

공간이 불길로 가득 채워지면 각각의 무리는 센터들 속에서 불꽃을 낸다.

따라서 민감한 생물은 접근하는 모든 것을 느끼며 우주의 흐름이 변할 때마다 그 흐름은 센터들에 반향을 일으킨다.

일치성이 확인되면 센터들에 작용하고 각각의 진동은 특정 센터에 반향을 불러온다.
지구에서 일어나는 사건도 반향의 일종이다.

혁명과 전환의 시기에 각각의 확언은 민감한 생물에 울려 퍼진다.

과학은 일체성에 질문할 것이고 센터들의 느낌에 따라 직관이 정확하게 어떻게 작용하는지 알아낼 수 있을 것이다.

이와 같은 일치성을 탐구함으로써 원인과 협력을 밝혀낼 수 있다.

그러므로 일치성 연구는 미래의 과학이다.

센터들이 진동한다는 것은 공간의 불이 맹렬하게 인다는 것이다.

그 에너지로 인해 지하의 불은 거세게 돌진한다.

거대한 일치성은 울려 퍼지는 센터들을 모두 강화한다.

그러므로 건강과 울려 퍼지는 센터들을 잘 보호하는 것이 아주 중요하다.

가장 친한 친구조차도 체스를 두거나 사냥할 때 기발한 행동으로 친구를 시험한다.

포위된 요새 안에 있는 군대는 병사들의 손이 굳어지지 않도록 기동 연습을 한다.

진 사람은 기분 상해하지 않으며 이긴 쪽도 으스대지 않는다. 단지 지략을 펼쳐 보이는 훈련이기 때문이다.

한번은 제항기르가 달려와서는 같이 놀던 친구 젤라딘이 자기를 심하게 밀쳤다고 불평한 적이 있었다.

"어쩌다 그랬니?"라고 제항기르에게 물었다.
"제항기르는 사냥꾼을 그리고 젤라딘은 호랑이 역할을 하지 않았니?"
나는 이어 말했다.

"호랑이가 비둘기처럼 군다면 놀랄 일이 아니겠니. 사나운 맹수의 행동을 따라 한 친구에게 고마워하거라. 내일은 진짜 호랑이를 사냥하러 갈 거란다. 호랑이를 만나면 기지를 발휘해야 한다. 그런데 나라를 다스리는 사람은 불평해서는 안 돼."

이 일은 인도를 통합한 악바르 황제 때 일어났다.

하이어라키를 이해하는 것이 우리에게 어떤 것을 요구하는지 확실하게 기억해야 한다.

시험이 얼마나 유용한지 알 수 있다.

그렇지 않고 싸울 때만 켠 불빛은 곧 어두워질지니.

전투와 대담성의 불빛은 가장 소중한 것이다.

일상 노동에 익숙해지듯이 전투에도 익숙해져야 한다.

힘을 강하게 하는 시험일뿐만 아니라 에너지를 모으기 위한 근원으로써 전투를 이해해야 한다. 전투 없이 원소들에 통달할 수는 없다.

그리고 불릴 때를 대비해 항상 준비되어 있어야 한다. 그렇지 않으면 상위 세력의 작용은 쓸데없는 일이 되고 만다.

하이어라키는 변함없이 휴식하는 게 아니라 전투를 치르면서도 꿋꿋하게 있는 것을 의미한다.

우리의 자석이 긴장을 유지하고 각각의 승리가 전체 하이어라키의 기쁨이라면, 전투에 다른 것을 대신 쓸 수 있겠는가?

누군가가 사랑으로 하이어라키를 받아들이기 어려워하면 하이어라키를 필수품처럼 근본적으로 필요한 존재로 받아들이게 하라.

인류의 수호자 하이어라키와 영적인 센터

234

모든 나라가 수호천사에 대한 수천 년 전통을 유지해 왔다.

모든 가르침 체계는 국가를 인도해 준 인류의 강력한 보호자를 알았다.

그런데 왜 우리 시대는 상위의 지도자들을 부정하는가? 이 보호자들 없이 세상이 존재한 적 있는가?

지도자가 없다고 어떻게 단언하는가?

있음(Be-ness)의 기본 원리는 지도자들이 알려준 법칙들로 강화된다.

우주의 법칙은 변하지 않으며 우주적 확증과 함께 커진다.

 따라서 인류의 보호자들과 전능한 운명의 여신은 인류의 운명을 창조한다.

 이 위대한 법칙을 깨달은 인류는 하이어라키라는 사슬에 도달할 수 있다.

그러므로, 각각의 영(靈)은 하이어라키가 인류의 보호자라는 점을 알아야 한다.

이렇게 하여 진화가 이루어지고 창조성이 확실하게 보장된다.

법칙은 이런 식으로 확인할 수 있고, 이렇게 할 때만이 생명은 위대한 통합의 세력 덕분에 퍼져 나갈 수 있다.

이렇게 해서 생명이 창조된다.

비타민의 중요성을 연구하는 것은 좋은 일이다.
하지만 심령 에너지 반응도 실험해야 한다.

비타민을 의식적으로 먹으면 여러 면에서 유용성이
증가한다.

짜증 나거나 화난 상태에서 비타민을 복용하면
해가 된다.

의식이 모이는 지점에서 무의식적인 에너지가
강화되기 때문이다.

고대인들이 식사를 신성한 행위로 여긴 이유를
이제 알 수 있을 것이다.

깨달음이 모든 에너지를 어느 정도까지 증가시
키는지 이해하기는 쉽다.

잠깐이면 할 수 있는 아주 간단한 실험이 많다.

의식을 존중하는 마음을 기르려면 에너지를 아트마나 심령 또는 생명이라고 부르거나 의식을 신성한 것으로 여겨라.

의식의 중요성을 연구하는 것도 필요하다.

이러한 수단을 써서 포하트나 원자 에너지에 접근할 수 있다.

소우주를 관찰해서 그 방식을 무한자에게 돌리는 것은 아주 중요하다.

237

편견을 버리고 심령 에너지의 조건을 연구할 수 있는 서양 과학자들을 찾아야 한다.

확실히, 히말라야산맥 고지대는 과학 연구를 위한 최적의 기회를 제공해 줄 것이다.

238

우주의 에너지는 인간의 몸에 얼마나 강하게 나타나 있는가!

각각의 우주 불은 인간 속에서 조화를 이룬다.

현현된 그 모든 센터를 영적으로 접근해 조사하면 얼마나 많은 것을 배울 수 있겠는가!

인간을 우주의 반영물로 여기면 일치하는 것이 많다는 점을 인식할 수 있을 것이며, 센터들은 불의 현현물로써 과학적 연구의 대상이 될 수 있다.

영적으로 접근할 때만이 우주적 관련성의 모든 의미와 그것들이 반영된 인간의 특징을 밝혀낼 수 있다.

그 센터들을 우주의 에너지들을 모으는 장소로 생각할 수도 있다.

그 최상위의 센터들을 위한 직접적인 자양분에 관해 생각해 보는 것도 옳은 일이다.

태양신경총은 전달된 각각의 에너지를 흡수해 센터들에 의식적으로 공급한다.

따라서 불의 센터들을 이해하는 것이 가장 중요하다.

의학은 질병과 우주 에너지들의 관련성을 알아야 질병을 제대로 진단할 수 있다.

 영적으로 탐구할 때만이 하이어라키에 좀 더 다가갈 수 있다.

 모든 시작에 앞서 가슴이 조화롭고 봉사의 힘을 이해해야 한다.

 초점에서 벗어나는 순간 적이 쏘는 화살의 표적이 될 것이다.

 따라서 그 위대한 초점을 방어함으로써 협력자가 될 수 있다.

 진실로, 이렇게 할 때만이 목적을 이룰 것이다!

하이어라키와 정화된 공간 에너지
240

불과 광선뿐만 아니라 인체 분비물도 조사하면 신체의 변화에 대해 생각해 보게 될 것이다.

사람들이 자기 몸에서 일어나는 강력한 화학 반응을 알고서도 이 과정에서 만들어지는 생성물을 쓰레기처럼 여기는 것은 이상하다.

혈액과 타액이 얼마나 강력한지 알 수 있다.

쥐오줌풀의 체액이 다른 식물에 얼마나 특이한 기운을 전달하는지도 알게 될 것이다.

이와 마찬가지로 타액과 다른 분비샘에서 나오는 분비물도 강력하다.

하지만 이러한 생성물들의 에너지 반응이 증가하거나 감소하는 원인을 관찰해야 한다.

분노의 타액은 유독하지만, 자비의 타액은 유익하다.

대다수 사람이 알지만, 기계 장치로는 대신할 수 없는 현현물을 조사하는 것은 중요한 일이 아닌가?

따라서 우리는 심령 에너지라는 물질, 즉 고대 의술에서 분비샘의 생성물을 사용해 발견한 신비한 아트마를 바라보는 잃어버린 지식에 다시 접근해야 한다.

불타지 않는 아트마를 이용해 불의 원소와 겨룰 수 있어야 한다.

물이 크게 휘돌듯이 끊임없이 회전하여 정화된 공간 에너지로 아트마를 이해해야 한다.

영(靈)과 아트마가 어떻게 전자와 양성자처럼 협력하는지 이해해야 한다.

화학과 생화학의 방향을 알려주는 것은 우리의 관습이 아니다.

위의 일은 자극을 주고 가장 위급하고 필요한 사항에 주의를 돌리도록 하는 것이다.

바로 지금이 가장 위험한 때다!

영의 힘과 사람들이 가진 방법을 쓸 때만이 이 시기를 견뎌낼 수 있다.

어둠의 세력은 빛의 진실성을 확인해 주는 것들 대부분을 두려워한다.

빛의 하인들이 주님들의 명령으로 공간을 가득 채울 때 어둠의 하인들도 자신을 힘을 강화한다.

그러한 전투들이 벌어져 빛이 승리했다는 사실을 인류는 알고 있다.

분명히 사람들은 자기 수준에 맞춰 스승을 받아들인다.

어둠의 존재들의 조직도 마찬가지라서 악한 의식으로 가득 차 있어 빛에 반대되는 결정을 내린다.

따라서 그 힘들은 다양한 지지 세력에 따라 우주에서 긴장된다. 그러므로 빛이 어둠을 정복하리라는 것을 단언할 수 있다.

이렇게 하여 무한자의 삶이 만들어진다.

성 크리스토퍼 전설은 세상의 짐에 관한 전설과 일치한다.

사람들은 영이 무한성이 현현된 것을 인식하는 경계선들 가까이에 있는 짐을 확실히 느껴야 한다.
자연의 다른 계들에 속한 존재들은 이러한 고통을 인식하지 못한다.
이 괴로움을 지각할 수 있는 의식 단계에 도달하지 못했기 때문이다.

실제로 대다수 사람의 의식 역시 잠들어 있다.

하지만 먼 세상들에 대해 이미 곰곰이 생각하는 사람들에게 세상의 짐은 피할 수 없는 것이다.

앞서 말한 사람들은 침묵이 아무것도 하지 않는 일이 아니라는 사실을 알 것이다.

내가 침묵을 권고할 때, 잠에 빠지라는 게 아니라 하이어라키의 힘이 울려 퍼지는 것을 의미한다.

일곱 살배기 아이가 하이어라키를 기억할 수 있도록 훈련시켜야 한다.

7살이 넘으면 아이의 의식은 벌써 평생 지워지지 않는 영향을 받기 때문이다.

우주에서는 변화가 많다.
 새로운 리듬에 따라 흐름이 전달된다는 것은 놀라운
일이 아니다. 이 리듬들은 꽤 어렵다.

 우주의 흐름들이 충돌하면서 부수적으로 발생하는
진동으로 인해 (리듬이) 생기기 때문이다.

 이 물결은 10번이나 일어날 정도로 길어서 고된
일이다.

 게다가 새로운 성운의 탄생을 예견하기란 불가능하다.
 성운은 흐름이 변할 때 만들어지기 때문이다.

 지난 불들이 빛날 때만이 새로 생성된 성운을
감지할 수 있다.

우주적 창조성에서, 상응하는 에너지가 모두 긴장되면 공간의 불이 지구의 창공에 접근한다.

모든 수단을 써 변화가 일어날 때 창조성이 발휘될 수 있다.

따라서 한 국가의 변화는 순응하여 일어나고 옛 흐름은 새 흐름으로 대체된다.

그러므로 각각의 변화의 카르마는 상응하는 지지 근거들의 전체 순서에 따라 정해진다.

지구의 지각에는 카르마의 수많은 흔적이 있는데, 그 흔적은 혁신을 위해 변화되어야 한다. 따라서 인류는 혁신하려고 애써야 한다.

가장 위대한 길이자 참된 길은 하이어라키다.

따라서 우주적 변화가 일어날 때는 새로운 으뜸음이
분명히 울려야 한다.

각각의 단계는 저마다 카르마를 가지고 있다.

새로운 만반타라를 위해서는 하이어라키를 부르는
소리가 우주에 가득 차게 해야 한다.

이럴 때만이 존재의 최선의 토대가 삶애 들어온다.

그러므로 우리의 가르침은 필수적이며
우리의 하이어라키는 아주 강력하며
그러므로 위대한 초점이 주어지는 것이다.
**모든 것이 씨앗 주위에 모여 각각의 단계가 고유의
포화도를 띠기 때문이다.**

 쟁기질하는 사람이라면 고랑을 크고 깊이 갈아줄
쟁기를 원할 것이다.

 그런데 왜 밭을 두 번이나 오가며 가는가?
왜 기름진 층까지 갈지 못하는가?

 고랑의 깊이만큼 하이어라키를 존경하라.
고랑의 너비만큼 꾸준히 움직여라.

 어디에서 하이어라키에 대한 존경심을 잃어버렸고,
어디에서 명령을 이행하지 않는지 살펴보라.

 어디쯤에서 기꺼이 물러설 수 있는지 주목하라.

 해로운 것은 전부 뿌리 뽑아야 한다.

 영(靈)이 깨어나면서 보호받지 못하는 곳들이 어디인지
살펴야 한다.

영이 진화하려면 담금질 과정이 필요하다.
이 과정 없이 진화하기란 불가능하다.

문화의 봉사자를 자처하는 사람은 밝혀진 통합의 확약을 받아들여야 한다.

신중한 태도를 보이지 않으면 문화의 단계들을 마련할 수 없다. 따라서 각각의 토대는 세상에 대한 확약을 위해 보호되어야 한다.

문화는 정묘한 에너지와 상념에 대한 거친 태도로 만들어지는 것이 아니라 신중함과 책임감이라는 창조적인 태도로 만들어진다.

그러므로 건설적인 일을 할 때 담금질 과정과 상위 영역들에 다가가려는 노력을 기억해야 한다.

그럴 때 영의 진화가 성취된다.

태만함, 집중을 방해하는 것, 표리부동, 호기심은 뿌리 뽑아야 할 결함이다.

이 특성 중 하나라도 반역으로 간주한다.
이들로부터 가장 저급한 것이 비롯되기 때문이다.

그것들의 결과가 얼마나 피할 수 없는 일인지 이해해야 한다.

작은 의식은 실수들로 사로잡혀 있으며, 자신을 정당화하려 하면서, 다시 말해 자신에게 거짓말하면서 바닥으로 가라앉는다.

이 결과라는 정원의 꽃들이 어떻게 피어나는지는 수많은 삶을 통해 관찰할 수 있다.

조만간 실수의 해로움을 확신할 수 있을 것이다.

주된 시금석은 다음 같은 질문이 될 것이다.

"반역을 저지르진 않았는가?"

반역 행위를 얼마나 저질렀는지 깨달아야 한다.

고전적인 접촉 외에도 수많은 미묘한 반역 행위를 발견할 수 있을 것이다.

251

각각의 발전 단계마다 고유의 긴장이 필요하다.

발전을 통해 확인된 많은 현현물은 부적합하기에
사라진다. 따라서 위대한 계획에 동화되려면 커다란
수단을 써야 한다.

어떻게 하면 조그만 의식에게 하이어라키라는
개념이 스며들게 할 수 있을까!

난쟁이는 제 일을 가장 중요하게 여기지만, 거인들의
봉사에서 그 수단들은 영(靈)의 확인을 받아야 한다.

진실로, 강력한 수단과 난쟁이들의 왕국을 함께
평가해야 한다.

그러므로 이 길에서 난쟁이들의 왕국에 해당하
는 수단을 쓰는 일은 있을 수 없다.
위대한 길은 커다란 이해가 있어야 한다.

따라서 영이 노력으로 가득할 때, 그에 맞추어 더 나은 수단이 필요함을 이해하게 되는 것이다.

그러므로 나아가기 위해서는 하이어라키가 어떤 것에 관심을 두는지 이해해야 한다.

자신의 의식을 하이어라키라는 큰 개념에 따라 확인할 수 있어야 한다.

현현된 초점이 없으면 어떤 성취나 건설도 없다.

그 초점을 확인할 수 있을 때만이 창조성이 발달한다.

이처럼 나는 명한다.

하이어라키의 탄탄한 기초

253

여러 스승을 섬기는 게 위험함을 많은 전설은 이야기한다.

그중 한 가지를 예로 들면 이렇다.

신심이 깊은 여인은 아들이 셋 있었다. 아들들은 덕망 있는 리시를 스승으로 섬겼다.

아들 중 하나는 다른 리시 두 명에게 자신을 이끌어달라고 간청하면 자기 능력이 향상될지 모른다고 생각했다. 어머니는 그렇게 생각 없이 행동하면 안 된다고 일러두었지만 말이다.

때가 되자 리시들은 세 청년에게 하늘을 나는 법을 가르치기 시작했다.

막내아들은 두 명의 리시에게 더 잘 날 수 있게 해달라고 간청했다. 다른 형제 두 명보다 빨리 가고 싶었기 때문이다.

그러자 세 군데에서 시작된 바람이 엇갈려 막내아들의 몸을 공중에서 갈기갈기 찢었다.

반면, 다른 형제 둘은 그들이 섬기는 리시의 지도에 따라 탈 없이 하늘을 날았다.

하이어라키의 법칙도 그렇다.

이 법칙을 따라야 할 것이다.

지식의 관점에서 과학은 생명에 관한 다른 법칙도 확인해 주지만, 사람들은 곁눈질로 보아야 한다.

토대가 조금씩 조각날 때마다 전체 그물도 망가진다.

손잡이에 칠하는 기름처럼 충심을 다하는 자세가 필요하다.

충성심에도 불구하고 무언가가 이루어지지 않는 이유는 우리에겐 문제가 되지 않는다.

그런데 우리는 이미 무르익은 화학 반응이 어떻게 끝나는지를 종종 본다.

따라서 검날을 날카롭게 갈아야 한다.

성공은 창 길이보다 더 멀리 떨어져 있는 것이 아니기 때문이다.

하이어라키라는 개념을 보호하라.

무언가를 세우려면 기초가 탄탄해야 한다. 영(靈)이 확고할 때만이 필요한 방향을 확인할 수 있다.

따라서 생명의 건설자들이 구축 작업을 위해 자신들의 힘을 최대한 사용할 때, 그 힘은 항상 전 우주적으로 작용한다.

생명의 건설자들은 상위의 뜻을 준수하며, 불의 힘은 영을 우주 자석을 향해 이끈다.

이처럼 생명의 건설자들은 상위의 뜻을 진정 안다.

창조성은 하이어라키를 지지함으로써 전달되고, 영이 주요 토대를 인식하도록 노력할 때만이 창조적으로 상응할 수 있다.

하이어라키는 창조적인 사슬과 건설 정신을 인생에 제공한다.

이것이 바로 우리가 이렇게 자주 하이어라키를
되풀이하여 말하는 이유다.

 이것이 바로 우리가 하이어라키라는 토대를 생
각하는 이유다.

 이것이 바로 우리가 이 초점을 완전히 받아들이
기 위해 모든 힘을 강화하는 이유다.

 진실로, 이렇게 할 때만이 승리하고 운명 지워진
것을 성취할 수 있다.

"그대가 발을 디디는 곳에 백합은 꽃을 피우리라. 그대가 머리를 기대는 곳에 세상의 사파이어가 모두 모이리라."

자애로운 전령이 이와 같다고 할 수 있다.

우리가 전령을 보낼 때, 전체 가르침을 되풀이 말하느라 시간을 허비하지 않는다.
단지 몇 마디 말로 명령을 내릴 것이다.

선택된 전령은 가르침을 알고 있고 하이어라키에 경의를 표하기 때문이다.

사파이어와 백합은 그러한 전령의 것이다.

마지막 순간에 되풀이하지 말아야 한다.

말이 땅을 박찰 때 그 여행이 언제 끝날지는 모르기 때문이다.

분비물은 가장 신성한 행위를 하는 데 도움이 된다.

그 물질 자체뿐만이 아니라 물질에서 방사되는 것들이 세상의 창조성에 이바지한다.

파라켈수스가 말한 난쟁이의 내용은 매우 특이하다.

이 소우주(축소판)는 대우주(확대판)로 쉽게 확대할 수 있기 때문이다.

위대한 영적인 분비물에 관한 가르침은 탄탄한 근거가 있다.

사람들은 '사막의 사자' 단계를 이미 넘어선 그러한 생물에 우리가 얼마나 커다란 관심이 있는지 분명히 생각할 수 있을 것이다.

하이어라키의 우주적인 창조 과정

258

우주적 창조 과정에서 모든 변화는 긴장되고 각 나라는 저마다의 카르마와 진화상에서의 위치를 미리 결정한다.

각각의 경우에 따라 우리의 진화에서 멸망한 국가는 어떤 단계에 있었는지 그리고 변화되고 있는 나라는 어떤 단계에 도달할지를 판단할 수 있다.

우리 시대의 역사적인 단계를 파악할 수 있고 사람들의 변화의 긴장 상태가 얼마나 다르게 진행되는지 추적할 수 있다.

그렇다면 한 국가의 발전을 방해하는 것은 무엇인가?

국가는 발전 추동력을 어떻게 유지할 수 있는가?

하이어라키 통해서 그리고 최상의 뜻을 이해함
으로써 가능하다.

인류는 이러한 수단에 힘입어 운명 지워진 것들을
향해 나아갈 수 있다.

이러한 의식 상태에 도달하면 상위 영역과 협력
할 수 있다.

이럴 때만이 한 나라의 변화는 발전의 증거가
될 수 있다.

따라서, 각각의 영(靈)은 자기가 해온 활동과 축적물을 한 국가로 가져온다.

그러므로 각 영은 자기의식의 충동을 긴장시킨다.

각 영이 자신의 책임을 이해할 때 한 국가의 카르마는 진보를 향해 좀 더 다가갈 수 있다.

개인과 집단과 국가의 카르마는 하이어라키를 온전히 인식하는지 아닌지에 달려있다.

우리가 보낸 불의 전달자들의 창조성은 생명의 개선을 위해 우리가 보장한다.

정원사는 자신이 맡은 정원에 얼마나 자주 물을 뿌려야 할까?

소나기가 도움을 주지 않는다면 매일 주어야 할 것이다.

사람들이 덧문을 닫을 때, 정원사는 익어가는 과일을 담기 위해 바구니를 엮는다.

소나기는 정원사가 물을 기는 수고를 덜어준다.

가르침이 그와 같지 않은가?

가르침의 토대는 매일 반복해야 한다.

매시간, 가르침은 습관이라는 나병으로부터 보호되어야 한다.

하지만 회오리바람이 몰아칠 땐 가르침을 보호할 필요가 없다.

인간의 유일한 희망은 이 가르침에서만 발견할 수 있기 때문이다.

그때 사람들은 땅에서 머리를 돌려 멀리 떨어진 세상과 천상의 불을 처음 감지할 것이다.

정원사는 소나기를 축복으로 여긴다.

그러므로 공간의 불과 미래의 존재를 생각하게 해주는 회오리바람을 그와 똑같이 말할 수 있지 않겠는가?

커다란 혼란을 동물이 하듯이 이해하지 않도록 하라.

동물은 이해할 수 없는 무언가를 감지하면 캄캄한 굴에 숨으려고 한다.

개화한 의식은 그 전투를 숨기지 않으며, 가르침으로 준비한 채 깨달음이라는 방패로 적의 화살을 부러뜨린다. 부러진 적의 화살을 박살 내는 소리도 들린다.

튕겨 나온 화살에 맞는 자는 불쌍한 사람이다. 법칙에 따라 그 세기가 10배가 되기 때문이다.

위대한 정의의 법칙들을 인생에 적용하는 게 경이롭지 않은가?

어떤 사람은 그 법칙들을 길게 이야기할지 모르지만, 법칙을 삶에 적용하는 것은 확실한 일이 될 것이다.

우리의 건설 정신은 어떠한 인생의 상황에서도 이어갈 수 있다.

그대는 이미 지구의 고통스러운 조건을 여러 번 확신했을 수도 있다.

우리가 삶의 방식을 시급히 바꿔야 한다고 쉼 없이 말했지만, 인류는 들은 체도 안 했다.

우주생성론은 식사에서 수프나 디저트 역할을 했지만, 삶의 토대가 되지는 못했다. 많은 실험 가설이 적용되었지만, 하이어라키를 인식하지는 못할 것이다.

많은 충격이 있을 것이다.
하지만 전력으로 하이어라키를 따라야 한다!
우리의 조언에 신경을 집중해야 한다.
막연히 이야기하는 게 아니라 적용을 위해 이야기하는 것이다.

우리가 이미 여러 번 충고했지만, 사람들의 삶은 바뀐 게 없다.

이제 공간이 포화하였음에 틀림없다.
귀 기울여 듣는 사람이 많기 때문이다.

그들이 어떤 몸을 가졌는지가 대수이겠는가!

그대들 모두는 커다란 긴장감을 느끼고 있다.
각자 나름대로 운명 지워진 해를 느끼고 있다.
그러므로 나는 말한다.

"건강을 지켜라, 용기를 잃지 마라."

우리가 없다면 진보는 있을 수 없다.

온 힘을 다해 귀를 기울여라.

하이어라키의 세상에 드러남

264

유출된 피는 특정 존재들을 특히 끌어모은다.
정말 그렇다.

모든 분비물은 똑같은 특성이 있다.
급이 동일한 존재들은 피와 침에 이끌린다.

자극받은 피부에도 이러한 존재들이 접근할 수 있다.

영매들의 림프절은 동일한 특성이 있다.

그래서 고대 사제들은 피부가 창백한 시종이나
제자들을 아주 꺼렸다.

분비물 유출을 방지하기 위해 특정 대상에서 나온
얇은 막을 사용했다.

그 특정 유화액은 동일한 유출 방지 특성이 있는데 보호 효과뿐만 아니라 심령 에너지의 순환도 증가시킨다.

 그 유화액이 어떻게 피부를 알칼리화해 분비물이 쌓이지 않게 해주는지 관찰할 수 있을지도 모른다.

 유화액을 바르고 분말을 먹는 것이 최선의 방호 수단이다.

 림프액이 외피의 형태를 띠어 이로울 수도 있다.

 이처럼 단순한 방법으로도 원치 않는 환경으로부터 자신을 상당히 보호할 수 있다.

하이어라키를 인식하려면 이해력을 넓혀야 한다.
넓어지지 않으면 깊이도 너비도 없다.

이럴 때만이 하이어라키가 의식으로 들어와 삶에
적용될 수 있다. 하이어라키는 인습이라는 개념을
완전히 바꿔 놓을 것이다.

전투는 에너지의 증가로 변화될 것이다.
모략은 확성기가 될 것이다.
피로는 일을 바꾸어야 함을 알려줄 것이다.

사랑은 빛의 횃불이 될 것이다.
선물은 힘을 증가시켜 줄 것이다.

끈기는 가야 할 길이 단축됨을 의미한다.

이와 같이 각각의 특성과 자질은 변화될 것이다.

하이어라키의 현현은 평범한 것을 값진 것으로, 대수롭지 않은 것을 중요한 것으로 변화시켜 줄 것을 보장한다.

하이어라키를 따르는 자들이 진정한 가치를 많이 가지고 있음을 쉽게 볼 수 있다.

따라서 언젠가는 하이어라키를 섬기는 자들의 전기도 발행할 수 있을 것이다.

확실한 그림이 세상에 드러날 것이다.

하지만 결과를 얻으려면 전적으로 머뭇거림 없이 하이어라키를 받아들여야 한다.

세상에서 일어나는 일들의 잔이 채워지고 있을 때,
아그니 요가 수행자의 불의 잔은 불타오른다.

상응의 법칙은 강력하게 작용한다.

이러한 조화에 세계의 통합이 포함되어 있다.

따라서 불의 법칙이 옛날의 확약을 변화시킬 때,
민감한 센터들은 세상의 반향으로 가득 채워진다.
그 센터들의 반향으로 통합은 강화된다.

그리하여 아그니 요가의 어머니는 세상의 잔이
가득 채워졌음을 강하게 느낀다.

그러므로 불의 보물을 아주 든든하게 보호해야 한다.

위대한 성취의 시대가 가까워지면 세상은 약하게
진동한다.

커다란 변화가 일어나면 정묘한 센터들이 울릴 것이다.

따라서 세상은 거대한 조화를 기억하고, 우리의 기록은 불의 표시를 세상에 남길 것이다.

이처럼 약속이 완수될 것이다.

그래, 그래, 그렇다!

사람들은 미래의 진화를 위해 내부의 불을 적용해야 한다는 말을 들었지만, 정작 현재를 위해 그 불이 가지는 중요성은 간과한다.

누군가는 물을 것이다.

"우리 내부에 숨겨진 불의 가장 중요한 의미가 무엇입니까?"

그것을 상상하기란 어렵다. 하지만 우리의 불이 지진을 조절하는 주요 인자라는 점은 확실하다.

점화된 센터들, 공간의 불의 지휘자들은 지저의 불을 끈다.

위대한 교사들이 불의 균형이 어긋나 위험해진 곳에 어떻게 제자를 보냈는지 추적할 수 있다.

미래에는 이 방면에서 많은 실험이 이루어질 것이다.

불의 자석은 사람들의 의식에도 반응한다.

다시 말해 불은 가장 큰 적용력을 가지고 있다.

불은 가장 강력한 전도체다.

그 불을 점화하기란 쉽지 않다.

특히 흐름이 아주 긴박할 때는 말이다.

하지만 연금술사들의 부적이자 그들이 아주 꼭꼭 숨긴 것이 바로 이 불임은 확신할 수 있을 것이다.

하이어라키와의 공명

269

우주의 불과 접촉하면 모든 센터가 긴장된다.

그 불은 자기파처럼 내부의 불을 끌어당긴다.

우주의 흐름은 모든 민감한 센터와 신경 속으로 퍼진다. 따라서 우주의 파동은 격렬한 센터들 속에 아주 강하게 반영된다.

지저의 불이 배출구를 찾을 때, 공간의 불의 파동은 그에 부응하여 강화된다.

우주의 커다란 상응성을 스스로 이해할 수 있는 사람은 거의 없다.

따라서 드러난 법칙은 모든 장대한 현현물을 하나로 묶는다.

우리를 최고의 법칙들로 이끌어 주는 힘, 하이어라키를 받아들여야 한다.

그래, 그래, 그렇다!

270

단순하고 강력하게, 생명은 하이어라키의 위대한 법칙에 젖어 든다.

그 보장된 힘을 받아들이기만 하면 전체적인 시야를 가질 수 있다.

따라서 하이어라키의 위대한 법칙을 따를 수 있도록 의식적으로 노력해야 한다.

271

폐에 공기를 채우고 고르게 숨을 쉬면 물 위에서 몸을 가눌 수 있다.

한 가지 요소가 더 있으면 물 위를 걸을 수 있다.

폐 속의 불은 필요한 그 조건을 채울 것이다.

속이 빈 구체와 불을 이용한 실험도 마찬가지다.

가스로 구체를 채우면 내부의 불이 반응한다.

폐 속의 불을 이용한 공중 부양도 생각해 볼 수 있다.

공간의 불은 점화된 센터들과 섞이고, 자석처럼 불의 본체를 끌어당긴다.

교사는 강화된 아스트랄체를 위한 조건으로 이러한 가능성을 언급한다.

진실로, 그 교사는 새로운 몸을 만드는 실험을 하는 불의 인간을 말하는 것이다.

272

짜증 내거나 흥분하면 불은 해를 입는다.
짜증이 일면 10번 정도 숨을 깊이 쉬는 게 좋다.

프라나를 들이마시는 것은 심령적으로도 화학적으로도 중요하다.

프라나는 불에 도움이 되며 흥분을 가라앉힌다.

인류는 이미 정해진 확약에 대해 자기 나름대로 견해를 밝힌다.

위에서 미리 정해준 것을 자기 방식대로 왜곡하기도 한다. 그럴 뿐만 아니라 위대한 원칙을 자기 생각대로 인생에 적용한다.

또한 현현된 의지를 자기 멋대로 주장한다.

거대한 것이 어떻게 조그마한 것에 들어갈 수 있으며, 전우주적인 것이 어떻게 개인적인 것에 들어갈 수 있겠는가?

이성의 시종이자 전 인류의 시종을 자기 가정만 아는 사람들이 어떻게 이해하겠는가?

사소한 일과에 빠져 사는 사람들이 자신을 극복한 지도자를 어떻게 이해할 수 있겠는가?

하이어라키에 대한 헌신의 불꽃이 가슴속에서 타오를 때만이 열린 문을 발견할 수 있다.

스승에게 감사할 때만이 그 문으로 들어가는 입구를 찾을 수 있다.

자신만의 길을 선택한 사람은 그 길이 외롭다는 것을 깨달아야 한다.

하이어라키에 대한 사랑과 헌신만이 영(靈)을 빛의 사슬로 감싸 안기 때문이다.

따라서 사람들은 저마다 자신의 카르마를 결정한다.

빛을 통해서만이 빛에 다가갈 수 있다.

274

사람들은 선악의 경계에 관한 선입견을 품고 있다.

많은 전설이 이 경계선의 정의를 다룬다.
대천사는 이 경계선을 정의하고자 자신의 빛나는
검을 선과 악 사이에 두었다.

확실히, 악의 영역에 있는 것은 위험하다.

하지만 불의 칼날에 너무 가까이 가는 것 또한
고통스러운 일이다.

그러나 사람들은 이 검에 바싹 접근해 자해하려 한다.

따라서 눈으로 감지하여 가슴의 의식적인 비전을
이해하는 사람들을 주목하자.

그들은 멀리 가려고 노력한다. 이를테면 멀리 있는 불빛을 향해 가려 하는 것이다.

먼 항해를 위한 이 닻은 아주 값지다.

악취가 진동하는 악의 장소는 해일에 휩쓸려 간다.

요즘에는 특히 이 닻을 멀리 던져야만 한다.

가까이에 닻을 내리면 닻의 의미는 사라진다.

통합이라는 원대한 계획은 물질적 차원과 영적 차원의 확장으로 이루어져 있다.

하이어라키에 의한 구심점의 점진적인 구축

275

공간의 흐름과 접촉하면 불의 센터들이 강하게 공명한다.

공간의 불과 접촉하면 4번째의 새로운 긴장이 유발된다.

이렇게 하여 거대한 일치성을 우주에서 확인할 수 있다.

생명을 인도하는 위대한 원리들을 어떻게 인류가 깊이 생각하지 않을 수 있겠는가?

인도하는 그 힘들을 제거하는 것은 은줄을 끊고 하이어라키라는 사슬 구조에서 이탈하는 것을 의미한다.

지구는 병든 상태다.
최고의 원리들을 잃어버렸기 때문이다.

따라서 모든 세상을 연결하는 은줄과 위대한 원리들을 최우선으로 이해해야 한다.

이럴 때 하이어라키의 원리가 보장된다.

사람들은 불필요한 것들을 얼마나 많이 자초하는가!
아무 필요 없는 카르마의 장애물을 얼마나 많이
자초한단 말인가!

가슴속으로 하이어라키를 받아들이려 하지 않기 때문이다.

의식적으로 하이어라키를 받아들일 때만이 모든
확약이 삶에 들어올 수 있다.

세상의 악은 하이어라키라는 위대한 원리에 저
항하기에 발생한다.

하이어라키의 원리를 받아들일 때만이 승리할
수 있다.

따라서 보장된 하이어라키에 아주 강력한 바탕을
두어야 한다.

내부의 불은 전등 빛과 유사하다.
긴장이 커질수록 빛도 강해진다.

자주색 별은 긴장이 극도에 달해 있다는 표시다.

그대들도 그러한 긴장 반응을 느낀다.
그것은 우리의 끊임없는 긴장과 상응한다.

무한자를 따르는 것으로 전기를 생각하라.

불경한 자는 상위 세상들의 긴장이 자기 세상의
긴장보다 적다고 여긴다.

"하늘에서와 같이 땅에서도" 그리고 상위 영역들
의 커다란 긴장은 지상의 싸움과 비교할 바 못 된다.

우주에서 문제가 얼마나 확대되는지 쉽게 생각
할 수 있을 것이다.

집단과 지역과 국가의 카르마는 훨씬 복잡하다.

인류의 종래 한계로 인해 카르마는 단순해지기보다 복잡해진다.

빛과 어둠의 집단의 관계가 얼마나 악화하고 그로 인해 자연의 반응을 거스르는 일이 얼마나 증가하는지를 느낄 수 있을 것이다.

그대는 심약한 영(靈)들이 얼마나 불안해하는지, 강박 상태가 얼마나 증가하는지, 이러한 강박 상태가 카르마를 얼마나 복잡하게 하는지 볼 수 있다.

지상의 전투는 누구도 혼란하게 해서는 되지 않는다.

그것이 무한 속에서 얼마나 확대되는지 이해할

수 있기 때문이다.

 비현현된 혼란이 맹위를 떨치는 곳을 아는 것은
쉬운 일인가?

 하이어라키를 따라, 긴장한 가슴은 우주적 싸움
의 긴장의 반향을 느낄 수 있을 것이다.

커다란 단계들을 마련하는 동안 중앙의 힘이 진
화에 필요한 모든 것을 그 주위로 모으는 것을
관찰할 수 있다.

중심에 있는 자석처럼, 진보의 지도자는 모든 것
을 자신에게 끌어당긴다.

쌓여 있던 낡은 것들을 쓸어내고 새로운 흐름을
창조하면서 말이다.

역사를 통틀어, 수많은 나라는 이러한 지도자들이
세웠다.

하이어라키에 완전히 귀의하는 모습을 보임으로
써 장대한 일이 완수될 수 있다고 말할 수 있다.

인류는 상위의 뜻과 단절되어 고통받았다.

상위의 힘과 단단히 결합할 때만이 상위의 법칙들을 완수할 수 있다.

상위의 뜻을 이해하지 않고서는 강력한 하이어라키를 받아들일 수 없다.

각 단계는 그 뜻을 깨달을 때 마련되며, 그 뜻에 따라 더 밀접하게 관련된다.

이렇게 하여 수많은 확실한 가능성을 보물 창고에서 끄집어낼 수 있다.

상위의 뜻을 받아들이지 않을 때 모든 구조는 복잡해진다.

명심하라!
각각의 구조는 그 구조의 초점에 의해 유지된다.

그러므로 하이어라키에 의식적으로 다가가려고 애쓰면서 행동해야 한다.

하이어라키와 사랑

280

사랑의 개념으로 돌아가자.

책마다 사랑의 근본 개념에 대해 상당 부분을 할애해야 한다.

사랑의 개념 아래에서 그 반대의 것들 중 상당 수가 이해되기 때문이다.

사랑은 지도 원리이자 창조 원리임을 정확하게 지적했다.

이는 사랑은 의식적이어야 하며, 노력해야 하며, 자신을 부정해야 함을 의미한다.

창조성은 이러한 조건들이 있어야 한다.

사랑이 자신이 약화하고 분열하며 자신에게 봉사하는 특징을 나타낸다면, 그것은 성취라는 개념을 극찬하는 인류의 최고 개념이 될 수 없을 것이다.

사랑으로 가득 채워진 가슴은 활동적이고 용감하며 능력이 향상될 것이다.

그러한 가슴은 말없이 기도할 수 있고 축복에 휩싸일 것이다.

사랑의 불을 실현하는 일이 인류에게 얼마나 필요한가!

최고의 긴장 상태를 나타내는 자주색 별은 이 불에 해당한다.

존재함(Be-ness)의 근본 개념을 정확하게 이해해야 한다.

성취에 대한 사랑은 심장 속이 불타오르는 사람에게는 금욕적인 것이 아니다.

하지만 그것은 자신의 나약함을 사랑하고 '나'라는 환상에 빠진 자들을 두렵게 한다.
세상을 움직일 수 있는 사랑은 오래된 것들이 썩어 가는 늪에 대한 사랑과는 다르다.

습지에는 도깨비불이 날아다니지만, 심장에 있는 영원한 창조의 불은 이리저리 돌아다니지 않는다.

그 불은 하이어라키의 단계를 따라 최고의 빛을 향해 격렬히 상승한다.

사랑은 안내하는 창조적인 원리다.

전능한 빛은 견딜 수 없다.

하지만 하이어라키는 그 눈부신 정상으로 안내
해 주는 연결 고리다.

하이어라키는 눈을 멀게 할지도 모르는 그 지점
을 향해 각성된 영(靈)을 이끌어 준다.

사랑은 빛의 왕관이다.

모든 것이 세워져 있는 토대가 붕괴하지 않도록
보호해야 한다.

모든 것을 유지하는 그 토대는 최선의 노력으로
강화해야 한다.

토대의 반석 위에 구조물이 서 있으므로
그 토대 위에 각각의 확약이 서 있으므로

주춧돌이 중요함을 깨닫지 않고서 어떻게 토대를
대할 수 있는가?

인간은 너무 많은 것을 파괴해 왔다. 자신의 보물을
알아보지 못한 채 가장 중요한 그것을 폭풍우 속에
내버려 두었다.

인류는 토대의 힘이 얼마나 큰 의미를 지니는지 이해
하고 온 마음을 다해 하이어라키를 받아들여야 한다.

 사람들이 불평등한 상황에 놓였을 때는 공간적인 공정성을 상기하라.

 가장 높은 산에 관한 지도는 있지만, 가장 깊은 구렁텅이는 지도가 없다.

 비상하는 영(靈)이 아닌 사람들조차 구렁보다 산 꼭대기를 좋아한다.
 사막을 건너는 대상이 극도로 약한 사람들로 이루어져 있다면, 역사는 가장 강한 사람들에 바탕하고 있다.

 진화에 가장 귀중한 것을 선택하는 이 경이로운 물질을 기억하자.

 우리가 진화에 도움이 된다면 공간의 공정성에 응답할 수 있을 것이다.

똑같은 공정성이 어둠의 세력에게 필요한 경고를 내린다.

어둠의 존재들은 보통 곧바로 접근하지 않는다. 그들은 3단계의 매개자를 거친다.

자기들의 오라가 쉽게 감지됨을 알기에, 일련의 과정을 택하여 단계적으로 아주 미묘한 변화만 준다.

우리가 다양한 반역 행위에 대해 무심코 이야기 하는 것이 아니다.

 어둠의 존재들에 대해 이야기하는 이유는 그들이 사용하는 교묘한 방법을 주의하고, 그들이 목적을 이루기 위해 얼마나 끈기 있게 살금살금 움직이는지와 자기들을 은닉하기 위해 어떤 갓길을 택하는지를 알아차리길 바라서다.

 어둠의 존재를 직접 보지는 못하지만, 회색의 존재와 빛의 존재들은 볼 수 있다.

 그러나 이러한 전보에는 커다란 주의가 필요하다.

암은 심령 에너지로 치료할 수 있다.
혈액에 심령 에너지가 부족할 때 암이 발생한다.
라마크리슈나와 다른 영적인 교사들의 경우와
같이, 영적인 분출로 인해 심령 에너지는 종종
고갈된다.

분명히 그들은 엄청난 심령 에너지를 가졌다.

하지만 심령 에너지를 너무 멀리 내보냄으로써,
잠깐 심령 에너지의 보호를 받지 못한 것이다.

이럴 경우 하이어라키에 접근해야 한다.

위대한 영적인 일꾼조차 자기희생하는 경우에는
때때로 그들의 힘이 적당량을 넘어서 소모되기
때문이다.

따라서 우리는 진화를 위해 하이어라키에 관해 되풀이 말하는 것이다.

자신의 힘을 지고의 존재들의 사슬 구조에 알맞게 적용하기 위해서 말이다.

그러므로 건강을 지켜라.

이 방법을 써서라도 하이어라키에 충실하기 위해서 말이다.

하이어라키에 헌신

286

상위의 뜻을 기억하는 자 누구인가?
상위의 의지가 확약한 것을 누가 곰곰이 생각할
것인가?

많은 사람은 상위의 의지가 실현된 것을 이해한다고
말한다. 하지만 인류는 자신의 방향만을 감지할 뿐이다.
진화의 경로를 고려하지 않은 채.

그로 인해 그 경로와 반대 방향으로 일해 왔다.

인류는 자신의 방어책을 잃어버렸다.
상위의 뜻에 반하는 방향으로 나아가기 때문이다.

상위의 의지가 얼마나 중요한지 이해해야 한다.

헌신의 주제로 돌아가 보자.

헌신의 개념 역시 많이 왜곡되었다.

헌신은 바람개비도, 찬양을 바치는 행위도 아니다.

헌신은 산꼭대기에 세워진 견고한 탑과 같다.

적은 탑을 두려워해 피하지만, 그 대피처에 있는 방은 친구들을 위해 준비된 것이다.

헌신은 무지에서 비롯된 의심과 반대된다.

헌신은 깨달음에 의지한다.
따라서 유효한 학습은 헌신과도 같다.

헌신은 맹신도 경솔함도 아니다.
그것은 확고부동함이자 견실함이다.

헌신의 탑은 되는대로 일한다고 세울 수 있는 것이 아니라 작은 일 하나에도 단호히 대처함으로써 세울 수 있다.

헌신은 배신을 통해서만 훼손된다.

헌신의 탑은 얼마나 소중한가!

그러한 아쉬람은 자석처럼 강력한 가슴을 끌어 당긴다.

아쉬람은 영성의 요람이다.

물질적인 본성조차 이러한 탑에 접근함으로써 변화한다.

인류는 우주의 법칙을 거의 이해하지 못한다.

인간이 만든 조직체는 우주와 빈번히 충돌한다.

인류는 눈에 드러난 몇 가지 효과만 받아들이고,
우주의 보물은 받아들이려 하지 않는다.

믿음이 부족하고 무지에 차 있기 때문이다.

그 때문에 분열이 일어난다.

부정이라는 벽이 인류의 앞을 가로막고 있는데
어떻게 우주의 법칙을 확인할 수 있는가?

각각의 위대한 법칙은 인생과 가장 중요한 법칙들과
일치한다. 따라서 사람들은 분명한 아름다움의 정상으
로 이끌어 주는 하이어라키에 기반해 살아갈 수 있다.

우주의 법칙의 확인 원리는 영(靈)에 기반을 뒀다.

봉사하려는 노력은 언제나 계시의 문을 열어준다.

따라서 우리의 승리는 각 영의 노력과 불굴의 정신과 관련된 법칙에 따라 삶으로 항상 들어간다.

이렇게 하여 운명 지워진 것이 실현될 것이다.

그러므로 나는 확약한다!

우리가 보증한 그 초점이 제대로 보호되면 자석이 작용할 것이다.

어떤 의사는 환자에게 이렇게 말하기도 한다.

"여름이 되면 시골로 가서 햇볕 좀 쬐세요. 산바람이나 바닷바람을 맞으면 건강을 되찾을 겁니다."

이렇게 일반 의사도 미래를 예상하며 치료한다.

치료는 미래에 놓여 있다.

과거에서 벗어나고자 하는 이는 미래를 위해 노력해야 한다. 전 존재를 바쳐 애쓰면 몰락의 길을 피할 수 있다.

내가 물 위를 걷는 법을 이야기했지, 물 위에 서 있을 수 있다고 말한 적은 없음을 기억하라.

부단히 노력할 때 카르마는 변한다.

미래로 향하는 것은 불꽃의 움직임과 비슷하다.

불이 세상의 균형을 유지하면서 때로 눈에 보였다 사라졌다하면서 유지되는 건 얼마나 놀라운가.

미래를 향해 나아가라.
불 원소로 유지되는 한, 실패하지 않을 것이다.

그러나 불은 영(靈)이 행동할 때만 불러올 수 있다.
그러므로 지상의 계획에 상위 법칙들을 적용하자.

카르마는 변화시킬 수 있다.
미래를 향해 나아가려 노력함으로써 현실조건을 모두 바꿀 수 있다는 뜻이다.

나의 명령을 삶에 적용하라.
귀중한 에너지의 입자들은 노력하는 사람에게만 붙는다.

하이어라키를 위한 봉사

292

진화의 커다란 단계들을 마련하는 일은 흔치 않은 방식으로 일어난다.

각각의 새로운 단계는 새롭고 강력한 가능성을 가진 생각을 하도록 하는 확약을 인류에게 전해준다.

따라서 지고의 의지 역시 우주의 자석에 맞게 각각의 에너지를 강화한다.

이루어지지 않는 지고의 의지가 보낸 확약은 없다. 인지되지 않는 지고의 의지가 부른 노력은 없다. 따라서 인류는 하이어라키에 다가가려고 노력해야 한다.

이 우주적 개념 속에 건설 정신의 모든 가능성이 담겨 있다.

인류는 약해진 상태다. 지고의 의지를 따르지 않기 때문이다.

그 때문에 우리는 초점에 대해 그렇게 강하게 이야기하는 것이다. 그 센터가 없으면 지고의 의지를 받아들일 수 없기 때문이다. 그러므로 우리는 그토록 하이어라키에게 도움을 강하게 요청하는 것이다.

그 보물을 신성하게 보호해야 한다.
그 보물은 우리 작업의 토대다.

각각의 신성한 창조성은 진화에 이바지한다.
위대한 생각의 중요성을 곰곰이 생각하자.
타라의 불의 위대한 힘을 숙고하자.
가슴의 헌신을 곰곰이 생각하자.

주님의 이름으로 걸어가는 사람들의 무적 상태를 숙고하자.

때로는 아주 단순한 방법으로 가장 복잡한 법칙을
증명할 수 있다.

카르마의 법칙은 복잡하다. 하지만 유도 코일이나
다른 전기 코일을 사용하면 카르마의 생생한 이미
지를 얻을 수 있다.

전류는 끊임없이 나선형으로 흐르지만, 보호하는 선은
외부 반응에 영향을 받는다. 게다가 각각의 가닥은 앞선
가닥과 접촉하며 지난 결과물을 전달한다.
따라서 카르마는 매시간 변화한다.
각각의 시간은 그에 상응하는 과거를 불러오기 때문이다.
그래서 과거 경험의 전체 선과 접촉할 수 있는 것이다.

이와 똑같은 예는 영(靈)의 씨앗이 어떻게 손상
되지 않는지를 보여준다.

가장 높은 곳에 이르려는 노력은 과거에 대한

두려움 없이 그것의 껍질을 유지해 준다.

카르마는 비활동 상태에 빠진 자들을 두렵게 한다.
하지만 노력하면 과거의 짐에서 벗어난다.

천상의 몸이 길을 되돌아가지 않고 앞으로 나아
가는 것과 같다.

따라서 힘겨운 카르마를 짊어지고 있더라도 해
방될 수 있다.

사람들이 주님과 하이어라키에 대한 봉사를 어떤
식으로 이해하는지 알아보자.

기도만으로 의식을 발전시킬 수 있다고 생각하는
사람은 봉사의 길과 멀리 떨어져 있다.

인류에게 도움이 되기 위해 최선을 다하려는 사
람은 온 마음을 다해 주님을 받아들여야 한다.

자신의 안락한 생활을 포기하지 않는 사람은 하
이어라키에 봉사하는 법을 모르는 것이다.

하이어라키의 지시를 받아들이지 않는 사람은
봉사를 이해하지 못한다.

지고의 의지가 보낸 확약을 의식적으로 가슴 속에
받아들일 준비가 되었을 때만이 봉사가 무엇인지
깨달았다고 할 수 있다.

우리는 주님에 대한 구슬픈 의식이나 공허한 기도를 좋아하지 않는다.

우리는 하이어라키에 봉사하려고 애쓰는 제자들을 존경한다.

봉사의 길을 진정으로 받아들이지 않는 사람이 봉사의 방법이 자신에게 편할 때만 주님과 하이어라키를 존경하는 모습을 쉽게 볼 수 있다.

그러므로 우리는 하이어라키의 짐을 덜어주려고 하는 각각의 노력을 고려한다. 덜어주는 짐이 아무리 크든 작든 말이다.

우리의 창조 작업에서, 우리는 말이 아닌 행동으로 존경을 나타낸다. 실천하지 않고 말로만 경의를 표하는 모습을 볼 때 개탄을 금하지 못했다.

따라서 인류는 우리가 심령 에너지라고 부르기로 한 상위 에너지를 모아 변화시키는 존재다.

인류는 의식을 통해 이 에너지를 변화시키고 하이어라키의 길을 따름으로써 이 에너지를 상위의 영역으로 몰아가는 데 의미가 있다.

사람들은 자신의 운명을 이해하지 못함으로써 책임감도 이해하지 못하게 되었다.

그러므로 우리는 존재의 토대를 다시 상기시키는 것이다.

사람들은 진화의 다음 단계를 준비해야 한다.

다시 한번, 커다란 흐름을 향해 더 가까이 다가가고 생명 부활의 원리를 깨달아야 한다.

우리가 심령술에 얼마나 크게 반대하는지 그대도 알 것이다. 하지만 우리는 종종 정묘한 신체에 관해 이야기한다.

우리는 현재의 최면술을 웃어넘긴다.
하지만 광선과 자석에 관해 이야기한다.

우리는 그대들이 약전을 재검사해 볼 것을 권유한다.

하지만 우리는 몇 가지 기본적인 약을 제공할 것이다.

평화 지음 / 15,000원 (2018.03.22)

성공에 대한 비밀을 알고 싶었던 사람들은
『시크릿』을 읽음으로써 소원을 달성하는 방법을 알고자 하는,
이른바 '시크릿'의 염원을 품었다.
하지만 『시크릿』과 같은 자기 계발 서적에는
독자가 원하는 '구체적으로 소원을 달성하는 방법'을
제시하는 것이 거의 없었다.
저자는 '시크릿'과 소원 성취에 관한 구체적인 방법을
일반인에게 제시한다.

Elizabeth Towne, 정재훈 지음 / 15,000원 (2021.07.30)

당신은 지금, 이미 성공한 사람입니다.
당신은 당신이 되려고 하는 모든 것입니다.
당신의 소원, 성공은
이 책을 참고하여 올바른 의지를 세우는 순간,
이미 달성되었습니다.

William Walker Atkinson, 정재훈 지음 / 10,000원 (2021.11.05)

생각은 물질이다.

존재는 자신이 가진 생각 그 자체다.

사업은 자신의 선한 상념을 물질계에 구현하는 신성한 행위다.

당신은 당신만의 현실을 창조하고 있다.

당신은 무언가를 두려워할 필요가 없는 존재다.

본서에서는 딱딱한 이론적 설명을 최대한 배제할 것이다.

실질적인 체험, 결과를 바탕으로 지금 당장 활용할 수 있는 방법을 제시한다.

William Walker Atkinson 지음 / 10,000원 (2022.02.14)

나의 유일한 목적은 인간 내부에 잠재하는 강력한 포스들(개인적인 자기력, 심령적인 영향력)을 계발하고 효과적으로 사용하는 수단을 알리는 것이다.

자신에게 나는 영원한 삶의 원리 일부분이라고 말하라.

신성한 이미지를 따라서 창조되었다고 말하라.

생명의 신성한 숨결로 가득 차 있다고 말하라.

아무것도 나를 해칠 수 없다.

나는 영원의 일부이기 때문이다.

『상념 포스의 활용』의 토대가 된 1900년 作 원문번역본

OCCULT SCIENCE

초월적 삶

Joseph S. Benner

Joseph S. Benner 지음 / 12,000원 (2022.01.18)

이 책에 시선을 둔 그대에게, 나는 말한다.

영혼이 지치고 낙심하여 거의 희망이 고갈된 그대여.

나는 그대, 그대의 신성한 자아, 내부의 영, 그대의 영혼, 초월적 자아 곧 진정한 그대다.

이 책에 담긴 깊고 생명력 충만한 진리를 더 잘 이해하려면 고요하고 열린 마음으로 접근해야 한다.

지성을 잠재우고 그대의 영혼을 초청하여 가르침을 행하게 하라.

그대, 함께 할 준비가 되었는가?

OCCULT SCIENCE

에텔체
ETHERIC DOUBLE

A.E. 포우웰 저 / 김통랑 옮김
한사랑 역주 / 카르마스 감수

Magic
Money

A.E. 포우웰 지음 / 13,000원 (2022.02.23)

치유와 죽음은 왜, 어떤 원리로 일어나는가?

전기 에너지와 경락의 흐름은 프라나(Prana), 쿤달리니와 어떤 연관
이 있으며 침, 뜸의 효과는 어떻게 설명되는가?

보이지 않는 무엇이 있을까?

이를 밝힌다.

1925년에 발행된 인간의 내부 구조를 주제로 한 5부작 중 첫 번째

C.W. Leadbeater, Annie Besant 지음 / 15,000원 (2022.04.01)

생각은 실체를 가지고 있다.

우주의 법칙에 따라 아름다운 색채의 향연으로 우리 앞에 모습을 드러낸다. 살면서 품게 되는 모든 생각과 상상은 현실에 지대한 영향을 미친다.

생각이 물질계에 표현되는 방식과 원리를 알고, 지극히 작은 자신의 상념 한 조각조차도 거대한 결과를 이루는 씨앗임을 깨닫는다면

앞으로의 인생의 목표, 삶의 방향은 놀랍도록 바뀔 것이다.

C.W. Leadbeater 지음 / 11,000원 (2022.02.08)

단순 투시

단순히 눈이 뜨임으로써 주변에 있는 아스트랄 혹은 에테르 질료의 물체를 무엇이든지 볼 수 있게 되는 것. 현재 이외의 다른 어떤 시간에 속하는 장소나 광경을 보는 능력은 포함되지 않는다.

공간 투시

투시자로부터 공간적으로 떨어진 광경이나 사건을 보는 것. 보통의 눈으로는 볼 수 없을 정도로 매우 멀리 있거나 장애물에 가려 보이지 않는 대상을 투시하는 능력.

시간 투시

시간상으로 떨어진 사건이나 대상을 보는 것. 과거나 미래를 들여다보는 능력이다.

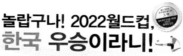

카라 지음 / 15,000원 (2020.05.16)

온 국민이 코로나 사태로 고생하고 경제 전망도 어두운 때 희망을 선사하는 책이 나왔다. 표지와 제목은 물론 기발한 내용으로 가득 차 있다. 한국이 2022년 카타르월드컵 우승할 수 있다는 대담한 선언!

알베르트 아인슈타인이 "지식보다 중요한 것은 상상력(Imagination) 이다."라고 했는데, 저자는 상상하는 것(Imaging)과 상상력을 사용 (Imagining)하는 것은 전혀 다른 것임을 명확히 설명한다.

나와 당신의 이야기,
그리고 그림

신성 지음

신성 지음 / 15,000원 (2020.07.31)

누구에게나 하루의 순간 중에 잠시 떠오르는 추억이나 애틋한 감정이 있다. 저자는 이러한 감정을 놓치지 않고, 그중 선명한 한 가지를 주제로 하여 차별 있는 나만의 이야기로 정리하였다. 그리고 '벗님 카페'라는 직장인 음악 밴드에 연재하던 글을 모아 출간하였다.

또한, 〈나와 당신의 이야기, 그리고 그림〉의 또 다른 볼거리인 그림은 미국에서 화가로 활동 중인 저자의 누나가 직접 그린 그림이다. 고향에 대한 그리움을 떠올리며 그린 수채화와 정물화가 저자의 일상을 더욱 풍성하게 만들어 준다.

한사랑 지음 / 17,500원 (2022.03.20)

30년 만에 명상록을 다시 복간하면서 감회가 새롭습니다.

2022년 한국은 지난 1만 년 한국 역사를 통합하고 새로이 도약하는 시점에 도달했습니다.

한국의 도약은 지난 60년간 한국에 화신한 영적인 영혼들이 모두 깨어나는 그 에너지에 의한 것이기도 합니다.

92년 WHITE VACUUM 출판사를 만든 이후로 지난 30년간 IMF, 서브프라임, 우크라이나 전쟁을 겪으면서 한국과 세계는 문명상승과 하강의 분기점에 도달했습니다.

한국의 도약은 남북통일을 가능하게 할 것이고, 세계 전체를 다시 하나로 융합하는 에너지를 발산하게 할 것입니다.

모쪼록 앞으로 출간하는 다양한 책이 한국의 도약과 세계 평화를 완성하는 강렬한 불꽃을 발화시키는 역할을 하기를 기대합니다.

모리아 대사 지음 / 12,000원 (2022.04.29)

신과의 합일인 요가.
인도 8대 요가 중
모든 것을 변화시키는 불의 요가에 관한 책.

아그니의 생각의 불, 마음의 불, 영혼의 불로
자신의 삶과 세상을 변화시키기.

매직머니 추천도서

모리아 대사 지음 / 12,000원 (2022.04.29)

세상에 위계가 존재하듯이
우주에도 위계가 존재한다.
우주의 위계는 완벽과 질서와 조화로 만들어진다.
일체 모든 것, 신성과 만물을 알고자 한다면
하이어라키를 알아야 한다.

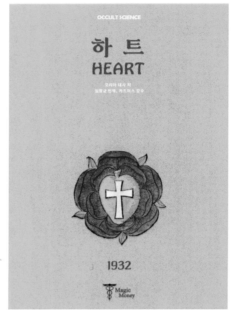

모리아 대사 지음 / 12,000원 (2022.04.29)

하늘과 땅의 모든 것이 압축된 곳
세상의 모든 고통이 존재하는 곳
세상의 모든 전쟁의 원인이 존재하는 곳
그 원인을 제거할 유일한 열쇠가 있는 곳
인류의 하트에서 정의로운 불꽃이 일어날 때
세상은 전쟁이 사라지고 평화가 정착된다.

알렉산드라 데이비드-닐 지음 / 16,000원 (2022.05.10)

한 서구 여성이 파헤친 티베트의 신비
불교의 진수가 현존하고 그 외 잡다한 종교가 난무하는 가운데
사십구재의 진정한 의미인 바르도(Bardo)의 세계 등
참된 가르침과 초월적인 능력을 터득해가는 구도의 여정

알렉산드라 데이비드-닐 지음 / 15,000원 (2022.06.16)

불교의 정수가 현존하는 땅 티벳에서 탐구한 서구 여성의 구도 기록 제자도와 신비적인 가르침 그리고 여러 영적인 훈련 및 심령 훈련에 대해 자신이 직접 체험한 내용을 생생하게 묘사하고 있다.

티벳의 여러 심령현상과 그에 대한 과학적인 설명을 흥미진진하게 이야기한다.

Elizabeth Towne 지음 / 8,500원 (2022.07.17)

더 행복하고, 건강하고, 균형 잡힌 삶을 살 수 있도록 도와줄 삶의 힘을 깨우는 법을 배우세요.

당신은 마음가짐과 집중을 통해 신체적, 정신적 안녕에 대한 통제력을 가질 수 있는 능력이 있습니다.

이 책은 당신의 심리 상태를 어떻게 개선할 수 있는지 알려주며 그로 인해 당신의 삶은 송두리째 바뀔 것입니다.

앞으로의 인류의 미래는?

앞으로 인류 문명은 상승 곡선으로 나아갈 것인가?
아니면 하강 곡선을 만들면서 파멸의 구도가 전개될까?

인간의 운명도 의지가 강한 자는 바꾸는 것이 가능한데, 인류 문명의 방향성도 바꾸는 것이 가능하지 않을까?

수많은 고대 문명이 존재했었고
그러한 문명이 하루아침에 사라진 것은
파멸의 형태인가 아니면, 도약의 형태로 사라졌는가?

플라톤, 피타고라스 같은 고대 선지자와 매스터들이
퇴보하는 각 시대의 문명을 변화시키기 위해 어떻게 노력했을까?

자신과 인류의 미래를 변화시키는 것을
공부하고 연구하고 싶은 분은

sita7@naver.com (메일)
010-2231-9977로 연락해주시기 바랍니다.